HISTOIRES
DE FANTÔMES

AMEET Sp. z o.o.
Nowe Sady 6, 94-102 Łódź
ameet@ameet.pl
www.ameet.pl

Distributed by Comtel, 46 rue Broca, 75005 Paris

www.LEGO.com

HISTOIRES
DE FANTÔMES

« Plus une goutte à boire », « À la recherche du parchemin » et « Le vol du ninja » écrits par Greg Farshtey

LEGO, the LEGO logo, the Brick and Knob configurations,
the Minifigure and NINJAGO are trademarks of the LEGO Group.
©2015 The LEGO Group.

 Produced by AMEET Sp. z o.o.
under license from the LEGO Group.

AMEET Sp. z o.o.
Nowe Sady 6, 94-102 Łódź
ameet@ameet.pl
www.ameet.pl

Distributed by Comtel, 46 rue Broca, 75005 Paris.

www.LEGO.com

Please keep the Comtel address for future reference.
Veuillez conserver l'adresse Comtel en cas de besoin.

TABLE DES MATIÈRES

LE TEMPS
DES FANTÔMES

Salut, je m'appelle Kai. Avec mes amis ninjas, nous protégeons notre monde, Ninjago, de toutes sortes d'ennemis. Récemment, avec l'aide des fantômes de généraux Anacondrai, nous avons vaincu l'infâme Maître Chen. Lui et son armée de serpents ont quitté notre monde par un portail interdimensionnel qu'il a lui-même ouvert. Mais, comme vous le savez (et si vous ne le savez pas, eh bien je vous l'apprends maintenant), jouer avec les portails interdimensionnels n'est pas un passe-temps très sûr. Un mystérieux spectre, nommé Morro, a franchi le portail... et il n'est pas venu seul !

Maintenant, les réjouissances vont vraiment commencer... cette fois, avec d'effrayants fantômes !

PLUS UNE GOUTTE À BOIRE

« Je ne peux pas… faire un pas… de plus »,
gémit Jay.

Les quatre ninjas marchent sous un soleil
de plomb depuis des heures. Ils rêvent d'un
grand verre d'eau bien fraîche.

« Dis donc, Jay », répond Cole. « Je rêve, ou
il y a une oasis derrière cette crête ? »

Zane plisse les yeux. « Ce n'est pas une
illusion », assure le ninja robot. « Il y a bien
une oasis, avec de l'eau fraîche en
son centre. »

« Wahou ! » s'écrie Jay.

« On fait la course ! » hurle Kai. Il passe
la crête en trombe, talonné par Jay.
Mais quand les ninjas atteignent la
bourgade construite autour de l'oasis,
une mauvaise nouvelle les attend.

« De l'eau ? Nous n'en avons pas du
tout », affirme tristement un des
villageois. « Juste le peu qu'on
a pu économiser avant que les
choses tournent mal. »

Jay regarde la jolie mare

scintillante devant lui et se gratte la tête.

« Ce n'est pas de l'eau, là-bas ? »

« Si, mais on ne peut pas l'atteindre », lui répond le villageois. « Je vais vous montrer. »

Cole, Jay, Kai et Zane le suivent dans les rues du petit village. L'endroit n'est pas très grand. Il y a quelques magasins, un hôtel de ville, et quelques maisons disséminées de ci - de là... et quelques personnes assoiffées (et malodorantes).

« Regardez », indique le villageois. Il fait un signe en direction d'une pile de sceaux. « Ils ont tous un trou au fond. Et par là... »

Il les conduit à la limite du village. Les ninjas voient un tas de tuyaux cassés.

« Tous coupés en deux », explique le villageois. « Mais tout cela n'a presque pas d'importance, parce que toutes les pompes qui tirent l'eau de la mare dans les tuyaux ont été sabotées. »

« Pourquoi ne pas boire directement dans l'oasis ? » demande Cole.

« Le maire pense que l'eau n'est plus potable. Il veut qu'elle soit testée avant qu'on en boive à nouveau. »

Cole regarde ses amis. Ils ont une mission importante. Morro, le spectral Maître des Vents, a pris possession du corps de Lloyd. Le fantôme est déterminé à découvrir le secret de l'Airjitzu, et les ninjas sont déterminés à l'obtenir avant lui. Ils doivent se rendre au village de Stiix et percer le secret avant Morro. Mais ils ne peuvent pas laisser ces ninjas sans eau.

« Je peux m'occuper des tuyaux », affirme Kai.

« Et Jay peut réparer les pompes. »

« Je vais fabriquer de nouveaux sceaux », renchérit Cole.

« Et je vais analyser les indices afin de découvrir qui se cache derrière tout ça », propose Zane.

Aidés par les villageois reconnaissants, les ninjas se mettent au travail. Kai utilise ses pouvoirs de feu pour souder les tuyaux ensemble. Le génie créatif de Jay l'aide à réparer les pompes. Cole ramasse tout le bois qu'il peut pour fabriquer de nouveaux sceaux. Zane furète partout, et examine chaque détail.

À la fin de la journée, l'eau coule de nouveau, et elle est tout à fait saine.

Mais tous les villageois ne sont pas contents du travail accompli par les ninjas.

« Mais pour qui vous prenez vous ? » questionne le maire. « J'ai dit que personne ne devait boire de cette eau ! »

Jay avale une grande gorgée et s'essuie la bouche avec sa manche. « Une seconde. S'expliquer, ça donne vraiment soif. »

Les villageois suivent avec enthousiasme l'exemple de Jay, et boivent jusqu'à satiété.

« Vous voyez ? » constate Jay. « Cette eau est parfaitement potable. »

Le maire fait la moue et s'éloigne en maugréant.

Cette nuit-là, les ninjas appliquent la

ième partie de leur plan.

ui qui a saboté la réserve d'eau va
ment réessayer », affirme Kai.

Zane acquiesce. « Nous allons monter la
garde, et l'arrêter. »

Les ninjas prennent position autour de la
mare, des pompes et des tuyaux. Puis ils
s'installent pour une longue nuit de veille.
D'abord, tout est calme. La ville, semble-t-il,
s'est endormie. Mais est-ce vraiment le cas ?
Zane est le premier à sentir un mouvement
derrière lui. Il se retourne prestement et voit
le boulanger du village lui foncer dessus,
armé d'un rouleau à pâtisserie.

Le ninja évite aisément l'attaque et envoie
valdinguer le boulanger dans ses sacs de
farine à l'aide d'un double coup de pied en
salto arrière.

« Votre attaque défie toute logique »,
proclame Zane en se tenant au-dessus du
boulanger abasourdi.

« Quelle attaque ? De quoi parlez-vous
donc ? » répond le boulanger. « Je viens de
me lever pour préparer les beignets, et je
me retrouve les quatre fers en l'air ! »

« Hmmmm… » se questionne Zane, circonspect.

Kai ne sait pas que son agresseur s'approche avant qu'un seau d'eau froide ne lui soit versé sur la tête.

« Hé ! s'écrie-t-il, en se redressant vivement.

Il se tourne et voit l'épicier armé d'un gros gourdin.

« Bon, désolé, vos prix ne sont pas si chers que ça », dit-il. « Mais je trouve toujours que… »

L'épicier lui fonce dessus. Kai effectue un saut périlleux par-dessus la tête du commerçant et retombe sur ses pieds à

temps pour bloquer le gourdin avec son avant-bras. Ensuite, il se sert de la force du coup porté par l'épicier pour le faire passer par-dessus son épaule. L'homme atterrit comme une masse.

« Je trouvais cet endroit sympathique », annonce Kai, « mais je viens de changer d'avis. »

« Que se passe-t-il ? Où suis-je ? » demande l'épicier, en se massant le haut du crâne.

« Hé, Kai, » hurle Jay, en dévalant la rue.

« Tu ne devineras jamais ce qui vient de m'arriver. »

« Tu t'es fait attaquer par un villageois, qui ensuite ne se souvenait de rien, » répond Kai.

« Wow, tu es fort en devinettes », s'incline Jay.

« Ça nous est arrivé à tous », explique Cole, qui arrive de l'autre direction. « Moi, c'était le coiffeur. Bon vas -y, Jay, finissons-en. »

« Le coiffeur ? » note Jay en souriant ? « Il t'a rasé de près ? Tu saisis ? Presque rasé ? »

« Non, je ne saisis pas », répond Zane.

« Pourquoi Cole se ferait-il tailler la barbe à cette heure-ci ? »

« Laisse tomber », enchaîne Kai. « Il se passe

quelque chose de vraiment étrange, ici. Je me demande si tout cela a un rapport avec ce qui est arrivé à Lloyd. »

Soudain, les ninjas entendent le bruit d'un moteur qui rugit. L'instant d'après, un camion fonce sur eux. C'est le maire qui est au volant !

« Alors, vous avez deviné ? » hurle-t-il alors que les héros se dispersent. « Qui a dit que les ninjas étaient des idiots ? »

« À ma connaissance, personne n'a jamais dit ça », déclare Zane. « D'ailleurs, le ninja moyen possède un niveau d'intelligence significativement supérieur à... »

« Plus tard, Zane », l'interrompt Cole en

se lançant dans un tourbillon de Spinjitzu.
« Quand nous aurons arrêté le malade dans
son camion, d'accord ? »
Le maire fait demi-tour au bout de la rue.
Puis il accélère en fonçant sur Jay, qui ne
cherche pas à l'éviter.
« Jay, attention ! » hurle Kai.
Mais le Ninja de la Foudre se contente de
sourire. Il lance des éclairs électriques sur

le camion. Le véhicule crépite, avant de s'arrêter à quelques centimètres de lui. Frustré, le maire frappe le volant. « Qu'est-ce qu'il a, ce truc ? »

« Le moteur est cuit », explique Jay. « Qui donc vous a appris à conduire, au fait ? »

« Je pense qu'il s'agit de l'École de Conduite des Spectres », déclare Zane. « Il y a un fantôme dans cette ville ? C'est la seule chose qui peut expliquer les attaques injustifiées de ses habitants. »

« Bon, M. Bizarro, il est temps de s'expliquer », annonce Cole, en tirant le maire de derrière le volant. « Qu'est-ce qui se passe ici ? »

Le maire s'affale sur le sol, et un fantôme s'échappe de son corps.

« Il était possédé », explique Cole.

« Qu-que se passe-t-il ? » demande le maire, apparemment confus. « Mais, qu'est-ce que c'est que ça ? »

Le maire et les ninjas observent le spectre qui disparaît dans l'hôtel de ville.

« Je ne pense pas qu'il soit allé faire voter une loi pour décréter que c'est la fête nationale des ninjas », affirme Kai. « On ferait mieux de… »

Un craquement inquiétant l'interrompt.

L'hôtel de ville commence à trembler, puis à s'effondrer sur les ninjas. À l'aide du Spinjitzu, ils en dispersent les débris.

« Hiii-hiiii ! » ricane le fantôme. « C'est fou ce qu'un petit spectre peut faire. Bon, voyons si je peux vous faire la même chose à tous les quatre ! »

Le fantôme s'élance.

Zane l'évite. « Qu'est-ce que tu cherches, ici ? »

« Même les fantômes ont besoin d'un quartier général », explique l'esprit. « Ce sera le nôtre, quand on aura fait fuir les humains. »

Cole lance une douzaine de seaux sur le fantôme. L'esprit les rattrape tous, les transformant en forme spectrale comme lui. « Tu ne peux pas arrêter quelqu'un que tu ne peux pas toucher ! »

« On dirait qu'il est temps que tu te calmes », dit Kai en utilisant ses flammes pour couper les tuyaux qu'il vient de réparer.

Des jets d'eau fusent sur le fantôme. Sous les yeux surpris des ninjas, l'esprit panique et évite l'eau. Puis, il s'envole dans les cieux et disparaît.

« Eh bien, c'était… bizarre », déclare Cole.

« Certains n'aiment pas se laver, j'imagine. »

« Encore du boulot de réparation en vue pour demain », soupire Kai.

Sur une colline surplombant le village, le fantôme atterrit à côté de Morro.

« Tu as échoué », déclare ce dernier.

« Vous avez vu ce qui s'est passé », répond le spectre. « L'eau… »

« Oui, l'eau », dit Morro. « Les ninjas ont remporté la bataille, mais heureusement ils ne savent pas pourquoi ils ont gagné. Ça ne durera pas éternellement. » Il plisse les yeux. « Si nous voulons que nos projets aboutissent, les élèves du Sensei Wu doivent être détruits avant qu'ils n'apprennent que l'eau est notre faiblesse. Alors, cette nuit, laissons-les fêter leur victoire... demain, ce sera la fin des ninjas, une bonne fois pour toutes ! »

ILS VENAIENT DE LA NUIT

Eh bien, ils nous en ont donné du fil à retordre, ces fantômes ! Qui aurait cru que Morro avait un tel entourage de croquemitaines... Brrr... Je vais vous parler d'eux, même si, je dois l'avouer, je n'en ai pas la moindre envie !

MORRO

Vous vous rendez compte que ce personnage inquiétant a autrefois été l'élève du Sensei Wu ! ? Il était le Maître du Vent, et allais devenir le Ninja Vert. Mais au final, le destin ne l'a pas choisi. Maintenant il est de retour, surpris et jaloux que Lloyd soit devenu l'élu ! Ha ! On est trop forts, voilà tout !

GHOULTAR

Mesdames et messieurs, veuillez admirer le premier monsieur muscle fantôme ! Il est gros, il est fort, et aussi subtil qu'une enclume. S'il n'était pas aussi intouchable, je lui montrerais volontiers qui est le patron !

L'ARCHER DES ÂMES

Attention à celui-ci, il ne rate jamais sa cible ! C'est le bras droit de Morro, et durant son temps libre, il collectionne les âmes qu'il utilise ensuite contre nous. Un personnage abject ! J'aimerais bien essayer quelques nouvelles prises sur lui !

BANSHA

Cette sorcière a le pouvoir de contrôler l'esprit des autres, et ses cris sont vraiment pénibles... sans parler du fait qu'ils peuvent vous assommer et vous envoyer balader ! J'espère qu'un casque avec de la bonne musique sera suffisant pour résister à ses hurlements.

WRAYTH

Si vous entendez un bruit de chaînes et le rugissement d'une moto dans le secteur, il y a de fortes chances que vous soyez à côté de Wrayth ! Ce type est franchement déplaisant, et j'espère vraiment ne jamais le revoir.

À LA RECHERCHE DU PARCHEMIN

C'était l'une des rares fois dans leur histoire où les ninjas avaient été vaincus. Leur ami Lloyd possédé par l'esprit de Morro, le Maître des Vents, ils sont venus au village de Stiix pour récupérer le parchemin de l'Airjitzu nécessaire pour le sauver. Mais pour pouvoir l'acheter à son malhonnête propriétaire, Ronin, ils ont besoin d'argent.

Et pour obtenir cet argent, ils doivent travailler. Pour l'instant, ce défi s'avère fort délicat à relever.

« Pas d'argent, pas de parchemin », énonce sombrement Kai.

« On n'a peut-être pas l'argent pour acheter

le parchemin, mais peu importe », propose Jay, « parce qu'on va le voler ! »

« Nous sommes des ninjas, pas des voleurs », affirme Cole avec sévérité.

« Mais nous volons un voleur », réplique Jay.

« Quand Ronin fermera ce soir, nous irons chercher le parchemin de l'Airjitzu, et nous le déroberons ! »

Celle nuit là, les ninjas arrivent sur le toit de la boutique de prêteur sur gages de Ronin. Après pas mal d'efforts, Jay parvient à ouvrir la fenêtre du toit. Elle s'écrase au sol et se brise. Les ninjas pénètrent dans la boutique.

« Je n'aime pas ça. Dépêchons-nous », dit Kai. Les quatre se séparent pour fouiller les lieux. Jay ôte un drap qui recouvre un gros objet, mais découvre qu'il s'agit juste d'un orgue. En se retournant vers ses amis, il ne s'aperçoit pas que l'instrument prend vie dans son dos. Les tuyaux commencent à s'animer comme des serpents et enserrent le malheureux ninja.

« Aargh ! » s'écrie Jay projeté dans les airs.

« Je pense que c'est un fantôme ! Faites attention! » explique Cole.

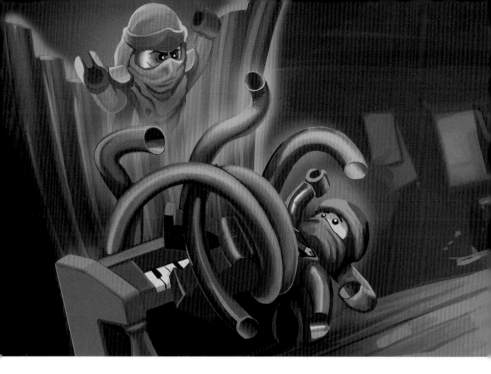

Les fantômes, comme l'ont appris les ninjas,
sont vulnérables à l'eau. Cole lance une
fontaine à eau sur l'orgue. Juste avant qu'il
ne l'atteigne, le fantôme nommé l'Archer
des Âmes s'en échappe. Morro émerge de
la réserve du magasin, entouré de ninjas
fantomatiques.

« Il va nous falloir plus d'eau », observe Cole.
Les fantômes se lancent à l'attaque.
Les ninjas les affrontent avec tout leur
savoir-faire, mais leurs armes traversent les
spectres sans les toucher. Au beau milieu du

combat, Kai repère Ronin qui s'éloigne en sautillant, attaché.

« Libère-moi », lui demande le voleur.

« Quand tu m'auras donné le parchemin ! » réplique Kai.

Ronin percute un panier d'armes en promotion, et le fait tomber. Des lames noires en forme de boomerangs s'en échappent. Kai les reconnaît : ce sont des Aérolames en Pierres des Profondeurs, une des seules armes à pouvoir agir contre les fantômes. « Bon, au moins sers-toi de ça pour éliminer quelques-uns de ces fantômes », répond Ronin.

« Tu nous as dit que ces armes étaient difficiles à trouver ! », s'indigne Kai.

« J'ai menti », répond Ronin. Il jette un oeil aux cordes qui le ligotent. « Mais maintenant, il me semble que c'est le moment d'être honnête. »

Kai se saisit d'une lame et frappe un spectre qui s'envole près de lui. Celui-ci explose aussitôt dans un nuage de vapeur.

« Ça marche ! » s'écrie-t-il, lançant les

armes à ses amis. Puis il libère Ronin. Peu à peu, les ninjas commencent à prendre l'avantage, mais au milieu de la mêlée, Morro coince Ronin.

Les ninjas commencent à prendre l'avantage, mais au milieu de la mêlée, Morro coince Ronin.

« Donne-moi le parchemin ! », grogne le spectre.

« Jamais tu ne le trouveras », lui répond le marchand.

Morro se jette sur lui, mais le voleur l'évite et son coup fait tomber un vase. Il se brise, révélant le parchemin de l'Airjitzu dissimulé à l'intérieur ! Avant que Morro ne s'en saisisse, Ronin émet un sifflement strident. Les lattes du plancher volent en éclat et le vaisseau de Ronin commence à s'élever. Le voleur se saisit du parchemin et file vers son avion. Pris par surprise, certains des fantômes tombent dans l'eau, et se transforment instantanément en gelée verte à son contact, tandis que d'autres s'accrochent aux restes des lattes du plancher.

Alors que Ronin tente de s'échapper, Morro libère un vent terrible qui extirpe le voleur de son vaisseau et le projette sur le sol. Les guerriers fantômes lui foncent dessus. Ronin en élimine certains en lançant une Aérolame, puis se remet sur ses pieds et file, Morro et les spectres à ses trousses. C'est Morro qui le rattrape le premier, et il se saisit du parchemin en utilisant son contrôle du vent. La poursuite reprend de plus belle et

les ninjas se précipitent sur Morro pour l'empêcher de disparaître avec le parchemin. Un par un, ils se retrouvent bloqués par des obstacles et bientôt seul Kai est encore libre de le poursuivre.

Morro atteint le chantier d'un quai en construction, et il saute de pilier en pilier. Kai le suit, mais la distance entre chaque pilier devient vite trop importante pour qu'il puisse continuer. Tout ce qu'il peut faire, c'est observer Morro qui étudie le parchemin et se lance dans les airs en utilisant la puissance de l'Airjitzu.

Le temps que les autres ninjas arrivent, Ronin s'est échappé, mais Kai a pu parvenir à un accord.

Le ninja de Feu se tourne vers ses amis et annonce, « Ronin dit qu'il y a une autre manière d'apprendre l'Airjitzu ». En un instant, il s'est envolé.

« Comment ? » demande Cole.

« Bien, dit Kai, J'ai l'impression qu'on est bon pour retourner à l'école... »

L'AIRJITZU

Jusqu'à l'invasion menée par Morro et ses fantômes, nous avions imaginé que le Spinjitzu pouvait vaincre n'importe quel ennemi. Mais nous avons alors appris qu'il y avait une autre manière de combattre... dans les airs.

L'Airjitzu est un art martial ancestral créé par le légendaire Maître Yang. Je vous assure que ce n'est vraiment pas facile ! On tournoie comme au Spinjitzu, mais en même temps il faut décoller et voler !

Ce style de combat est très pratique pour affronter les spectres à la solde de Morro. Mais il y a cependant un inconvénient : pour l'apprendre, il faut entrer en contact avec Maître Yang, ou plus précisément avec son fantôme... et pénétrer dans sa maison hantée !

Vraiment, c'est trop génial !

UN AMI SOLIDE

Que feriez-vous si votre copain devenait un fantôme ?

Je comprends : maintenant, il peut traverser les murs et faire des blagues vraiment hilarantes, mais en tant que ninja, il le pouvait déjà ! Tout ça à cause du mystérieux parchemin qui était censé nous apprendre l'Airjitzu. Nous avons essayé de le prendre dans la maison hantée du spectre de Maître Yang. Nous devions quitter la bâtisse avant le lever du soleil, sous peine de devenir nous-mêmes des fantômes. Nous sommes donc sortis, mais Cole est retourné chercher le parchemin perdu : il s'est sacrifié et est devenu un spectre...

Vous pouvez imaginer qu'il n'est pas très heureux de sa nouvelle condition. Enfin... au moins maintenant, il peut se déplacer sans faire le moindre bruit !

LE VOL DU NINJA

Jay, Zane et Kai se tiennent sur le pont
du Butin du Destin, leur navire. Jay agite
son poing au-dessus de lui, tout en tenant
un parchemin roulé dans son autre main.
« Ouais ! » s'écrie-t-il. « On tient enfin le
parchemin de l'Airjitzu ! »
« En un rien de temps, on saura voler »,
ajoute Kai. « Avec un tel pouvoir, ces
fantômes n'ont aucune chance. »

Zane acquiesce. « En effet. Maintenant, il nous suffit d'apprendre un art si ancien et mystérieux que seule une poignée de personnes l'a un jour maîtrisé. Et nous devons faire vite, avant que Morro et ses fantômes ne conquièrent notre monde. Oh, et nous devons le faire sans nous écraser par terre ou plonger vers une mort presque certaine dans les eaux profondes. »

« C'est pour ça que tu n'es jamais invité aux fêtes, Zane, tu es déprimant », grommelle Jay. « Enfin bon, depuis que Cole a été changé en fantôme dans le temple du Sensei Yang, il est démoralisé et ne veut plus s'entraîner. C'est à nous de jouer. On ferait mieux de s'y mettre. »

Chacun des ninjas lit le parchemin à son tour, certains plus attentivement que d'autres. Jay est déjà sûr qu'il va maîtriser l'Airjitzu en un tour de main. Après tout, il sait piloter un planeur. Il sait donc voler. Invoquant toute sa volonté, il se projette dans les airs.

« Hé ! Ça marche ! » Hurle-t-il, en filant à travers les airs. Il observe ses amis plus bas,

qui le regardent, impressionné. Du moins,
il imagine que c'est pour ça qu'ils crient en
agitant les bras.

L'instant d'après, lorsqu'il s'écrase dans les
voiles du bateau, il se rend compte que ce
n'est pas le cas. Il tente de s'en extirper, mais
se retrouve de plus en plus emmêlé dedans.
Au bout de quelques minutes, il ressemble
à un paquet cadeau.

« Ha ! » annonce Kai. « Laissez-moi lui
montrer comment on fait. »

Le ninja de Feu s'élance du pont à la vitesse
d'une fusée. Il fend les cieux durant une
minute ou deux, enivré par la pure vélocité
et la liberté de parcourir les airs. Puis il est
temps de ralentir et de se poser. C'est là
qu'il fait face à un problème... et au pont.

« Ouch ! » s'écrie-t-il, rebondissant sur le
bois dur et repartant dans les airs. « Zane,
je n'arrive pas à ralentir ! Comment fait-on
pour s'arrêter ? Il y a quelque chose dans le
parchemin au sujet des freins ? »

Zane parcourt le texte, mais il ne voit rien
qui puisse aider. Mais quelque chose est
clair : il doit utiliser l'Airjitzu pour sauver ses

deux amis. Il doit cependant s'y prendre avec prudence, pas de la même manière téméraire que Jay et Kai. Calculant la vitesse du vent, l'aérodynamique et le taux d'ascension optimal basé sur sa masse corporelle, il invoque le pouvoir de l'Airjitzu et se met à voler.

À reculons.

Le Nindroïde fonce, les pieds en avant, par dessus le bastingage. Il s'élève dans les airs dans une courbe gracieuse, tout cela à l'envers. Quand il tente de revenir en arrière, le pouvoir s'interrompt et il commence à tomber. Dès qu'il se reconnecte à l'Airjitzu, il repart en sens inverse.

« Quel... manque de dignité », juge Zane. « Mais bon, il faut bien que quelqu'un réussisse. »

Regardant par-dessus son épaule, il fait de son mieux pour s'orienter. Il sort un shuriken de sa combinaison et l'utilise pour couper certaines des cordes qui retiennent Jay. Le ninja de la Foudre tombe, mais parvient à invoquer le Spinjitzu pour se poser tranquillement sur le pont.

Pour Kai, c'est une autre paire de manches.
Zane le poursuit à travers le ciel, tentant
en vain de rattraper le ninja en perpétuelle
accélération. En passant près du navire,
Zane parvient à se saisir d'une corde. Il la
lance par-dessus son épaule et attrape Kai
au lasso. Il se retrouve entraîné derrière
son ami.

Tirant petit à petit sur la corde, Zane se
rapproche de Kai. Quand il est assez près,
il se saisit de lui. Le poids combiné des
deux permet de ralentir le vol de Kai. Zane
l'oriente vers le bateau. Leur atterrissage ne

perce que trois étages du navire, donc c'est plutôt une réussite, estime-t-il.

« OK, j'ai pigé », dit Jay. Cette fois encore, il s'élève facilement dans les airs, mais impossible de manœuvrer. En moins de cinq minutes, il a détruit un mât, déchiré une voile et rebondit plusieurs fois contre la coque. Lorsqu'ils sont de nouveau réunis, Jay déclare « C'est ridicule. Nous sommes des ninjas. Nous sommes plus forts, plus discrets, plus rapides et plus athlétiques que n'importe qui. Alors pourquoi ne pouvons-nous pas voler ? »

« Biologiquement, la structure du corps humain n'est pas conçue pour voler », observe Zane. « L'oiseau, par exemple, est parfaitement constitué pour ça, mais les oiseaux mangent aussi des vers. Moi, bien sûr, je ne mange pas... qu'est-ce que vous dites de l'idée de manger des vers, vous deux...? »

« Zane ! » tranche Kai. « Jamais il ne nous poussera des ailes, mais beaucoup de monde dépend de nous. Nous devons réussir. Je vais essayer d'aller lentement. »

Kai décolle du pont et s'élance, puis ralentit au maximum, s'arrête, et tombe sur le pont. Lors de sa seconde tentative, son vol indécis lui permet de franchir le bastingage, mais Zane et Jay doivent le rattraper quand il commence à chuter.

Zane ne s'en sort pas beaucoup mieux. Il commence à voler à reculons, puis découvre qu'il ne peut plus se déplacer que sur le côté. Au bout de quelques minutes, il commence à tourner lentement sur lui même dans les airs, avant de retomber sur le pont. « Il serait peut-être plus facile d'utiliser un jet pack », marmonne-t-il.

« Bon, à mon tour », annonce Jay. Une fois encore, il décolle facilement, mais il lui est impossible de se diriger. Au bout de cinq minutes, il a brisé une hampe, arraché une voile et rebondi sur la coque plusieurs fois. La tête de spectre de Cole apparaît à un hublot. « Hé, vous pouvez faire moins de bruit ? J'essaie de me morfondre, moi ! »

Jay, étourdi, relève la tête. « Désolé, on a du mal à contrôler l'Airjitzu. »

Cole observe les voiles déchirées, les mats arrachés, les trous dans le pont. « Ça alors, je ne l'aurais pas deviné. Peut-être que vous en faites trop. »

« Qu'est-ce qui te fait dire ça ? »

« Eh bien, vous en faites toujours trop », répond Cole, avant de redescendre à fond de cale.

Jay réfléchit à ce que Cole vient de dire. Le Sensei Wu lui a un jour expliqué que certaines puissances ne peuvent être guidées, qu'il faut se laisser guider par elles. Peut-être qu'ils veulent tous les deux dire la même chose ?

Zane et Kai s'approchent. Ils ont tous deux

l'air découragés. « Nous devons essayer
différemment », propose Zane.
« Des suggestions ? » demande Kai à Jay.
« J'ai peut-être une idée », lui répond Jay.
« Je vais tenter de ne pas en faire trop. »
Ils se tiennent tous trois près du bastingage.
Zane a écouté le plan de Jay, et décidé
qu'il était sensé, d'une manière étrange et
humaine. Kai pense que l'idée est folle.
« Souviens-toi, n'essaie pas de le faire bien »,
rappelle Jay. « Ne songe même pas à rester

dans les airs. Détends-toi et laisse le pouvoir prendre le contrôle. »

« Quel genre de fleur aimes-tu, Jay ? » demande Kai.

« Hein ? »

« Je veux savoir lesquelles t'envoyer à l'hôpital. »

Jay invoque le pouvoir de l'Airjitzu. Ses pieds décollent du sol, et l'instant suivant, il vole. Le voilà, libre tel l'oiseau, ne faisant qu'un avec la brise, s'élevant dans les airs... droit vers la montagne. Kay décolle à peine quelques secondes après Jay, fonçant droit vers le ciel et arrachant des voiles au passage. En s'éloignant du bateau, il traîne derrière lui de longues bandes de tissu. Quand il tente de se baisser tout en volant pour se débarrasser des cordes autour de ses pieds, il se retrouve à faire des culbutes à toute vitesse dans les airs.

« Ça... ne... marche PAS ! » hurle-t-il.

Zane se lance en marche arrière et parvient à arrêter le tournoiement de Kai. Ils observent tous deux Jay qui fonce droit sur la paroi rocheuse. « Nous devons l'arrêter ! » s'exclame Kai.

Zane le retient. « Non. Je crois qu'il sait peut-être ce qu'il fait. »
Jay sait qu'il devrait paniquer, mais il s'y refuse. Il se force à se détendre et imagine qu'il remonte et s'éloigne des rochers. Quelques secondes avant de percuter la montagne, il exécute un arc gracieux dans les airs et s'envole vers le soleil.

« Wahou ! » hurle-t-il. « J'ai réussi !
J'ai réussi ! »
Zane et Kai progressent bientôt grâce
aux conseils de Jay. Zane doit cesser
d'analyser chaque mouvement dans les
airs, et Kai doit arrêter de vouloir tout
comprendre si vite. Les chutes, les chocs
et les dégâts sur le navire se multiplient,
mais au bout du compte, les trois ninjas
parviennent à maîtriser leur vol.
« Nous pouvons être fiers de ce que nous
avons accompli aujourd'hui », affirme Zane.
« Ouais, ben on a peut-être progressé en
Airjitzu », rétorque Kai, « mais il nous reste
beaucoup à faire. »
Jay observe les alentours. Le Butin du Destin
est dans un état lamentable, ses mats
coupés en deux, ses voiles en lambeaux et
le pont ravagé.
« Tu as bien raison », dit-il. « Et nous allons
commencer par réparer ces dégâts. Zane,
tu t'attaques aux voiles, Kai peut réparer les
mats, et... »
Jay se retourne. Au loin, Zane et Kay
s'éloignent en volant.

« Et je peux tout faire moi-même, on dirait, » conclut Jay. « À moins que... hé, Cole ! Comment les spectres se débrouillent-ils avec un marteau ? »

GLOSSAIRE

COLE - Le ninja noir de la Terre. C'est le chef posé et rusé de l'équipe des cinq ninjas. S'il ne s'était pas rebellé contre son père, il serait devenu danseur.

PIERRE DES PROFONDEURS - un minerai rare que l'on trouve au fond de l'océan, et qui sert à confectionner les Aérolames, la seule arme efficace contre les fantômes.

LE BUTIN DU DESTIN - un grand bateau aux voiles rouges qui est devenu le quartier général des ninjas lorsque les Hypnobrai ont détruit le monastère du Spinjitzu. On dit qu'il aurait appartenu à une bande de pirates.

JAY - Jay Walker, le ninja bleu de la Foudre. Premier à avoir maîtrisé la technique du Spinjitzu, grand inventeur et lamentable humoriste.

KAI - le ninja rouge du Feu, frère aîné de Nya. Impétueux et têtu, c'est le fils d'un forgeron. Dernier à avoir rejoint l'équipe, mais toujours premier pour la bagarre.

LLOYD - Lloyd Montgomery Garmadon, autrefois un jeune homme à problèmes qui a rejoint le groupe des ninjas et est devenu l'élu, le très puissant ninja vert.

NINJAGO - le monde créé par le premier maître du Spinjitzu, à l'aide du pouvoir des armes d'or. La seule grande ville connue du royaume est Ninjago City.

RONIN - un prêteur sur gage qui n'est au service que de lui-même et de l'argent qu'il peut amasser. Un voleur et un bandit, qui change souvent de camp.

LE SENSEI WU - un vieil homme sage qui veille sur les cinq ninjas. C'est le deuxième fils du premier Maître du Spinjitzu.

LE SENSEI YANG - un professeur sévère et mystérieux, créateur de l'Airjitzu. Il hante désormais son temple abandonné sous la forme d'un spectre.

LE SPINJITZU - une technique d'art martial qui consiste à puiser dans son énergie élémentaire interne tout en tournoyant rapidement, afin de créer un vortex tourbillonnant d'énergie autour de soi.

ZANE - Le ninja blanc de la Glace qui a découvert qu'il est un Nindroïde (un ninja droïde) créé par un mystérieux inventeur, le Dr Julien. Même s'il manque singulièrement d'humour, ses talents robotiques ont sauvé le groupe à de nombreuses reprises.

Découvre de nouveaux livres LEGO® NINJAGO™ !

Retrouve les nouvelles aventures
des Maîtres du Spinjitzu au sein des autre
titres LEGO NINJAGO !
Ce fantastique livre de la série LEGO NINJAGO regorge
d'histoires incroyables et fourmille de détails sur
l'univers LEGO NINJAGO !